劉福春・李怡 主編

民國文學珍稀文獻集成

第二輯

新詩舊集影印叢編　第71冊

【章衣萍卷】

深誓

北京：北新書局 1925 年 7 月版

章衣萍　著

種樹集

上海：北新書局 1929 年 11 月初版，1929 年 6 月再版

章衣萍 著

花木蘭文化事業有限公司

國家圖書館出版品預行編目資料

深誓／種樹集／章衣萍　著 — 初版 — 新北市：花木蘭文化事業有限公司，2017〔民106〕

106 面／132 面；19×26 公分

（民國文學珍稀文獻集成・第二輯・新詩舊集影印叢編 第71冊）

ISBN 978-986-485-151-5（套書精裝）

831.8　　106013764

ISBN-978-986-485-151-5

9789864851515

民國文學珍稀文獻集成・第二輯・新詩舊集影印叢編（51-85冊）

第71冊

深誓
種樹集

著　者　章衣萍
主　編　劉福春、李怡
企　劃　首都師範大學中國詩歌研究中心
　　　　北京師範大學民國歷史文化與文學研究中心
　　　　（臺灣）政治大學民國歷史文化與文學研究中心
總 編 輯　杜潔祥
副總編輯　楊嘉樂
編　輯　許郁翎、王筑　美術編輯　陳逸婷
出　版　花木蘭文化事業有限公司
社　長　高小娟
聯絡地址　235 新北市中和區中安街七二號十三樓
　　　　電話：02-2923-1455／傳眞：02-2923-1452
網　址　http://www.huamulan.tw 信箱 hml 810518@gmail.com
印　刷　普羅文化出版廣告事業
初　版　2017年9月
定　價　第二輯 51-85冊（精裝）新台幣 88,000 元

深誓

章衣萍 著

章衣萍（1901～1946），安徽績溪人。

北新書局（北京）一九二五年七月初版。原書五十開。

深　誓

衣　萍　著

文藝小叢書之一

深誓

衣萍著

自序

我的幾十首小詩，因了曙天女士不憚煩的替我編成付印，得傳佈在我愛的同時代的讀者諸君之前，這在我個人，實在覺得榮幸而且羞慚。

因爲我是青年，我的詩多半是歌詠愛情。我曾徹夜發狂地高唱愛之戀歌，在曠野無人的星光底下，清風爲我而低吟唱和之音。然而我的戀歌，多半在清風明月底下消滅了。當細雨朦朧地從天空的浮雲飄到人間的時節，我的憂愁之句在地上留下了痕迹，這痕迹是深刻而不能磨滅的；雖然在慈善的太陽從林裡莊嚴地上昇着的時節，我也曾俯伏在陽光的腳底，高吟愛之頌歌。

我的青春一天天的逝去，我的容顏漸漸衰老，我的歌聲也已經枯燥而且消沉了罷。我不能常常唱這樣的戀歌，但如果人間愛之火永遠不滅，我還想高吟幾句，在我老態龍鍾的時候。

我應該感謝在旅路上遇着的幾個女郎 有的給我微笑，有的給我沉默，有的給我憂愁和瘋狂。我不知道伊們現在是到那裡去了。然而那些不滅的微笑，不滅的沉默，不滅的憂愁和瘋狂，都在我的幾十首小詩裡永遠留着不滅的影子。

「深誓」的讀者們！假如你是理智代的學者，你是高慢的文學評衡家，你是著名的高貴詩人，你是得意的老爺，太太，我希望我這本小詩不要陳列在你們之前。如果你們的眼珠看過我詩集中的一行，這在你們毫無所得，而在我則將得着譏笑和侮辱。那些得戀而歡笑的對對青年，那些失戀而悲哀的曠夫怨女，在你們的快樂聲中，在你們的灑淚時節，我把我的小小詩集獻給你們。如果你是歡樂，牠決不在你的歡樂心中留下悲哀的痕迹；如果你是悲哀，牠決不在你的悲哀心中種下歡樂的種子。

我應該感謝譯天女士——我的親愛的伴侶！因為有伊的

幇助，我的小小詩集纔能出現於人間。

一九二五，七，十三，衣萍

給我愛的人們

自序

詩

深誓

霎時歡笑霎時愁，
霎時流淚霎時喜，
我們兩個小孩子。

幾度偕遊談閒事，
幾度低頭嘔閒氣，
我們兩個小孩子。

今夜月團圓，

對月深深誓：
願今後
不要憂愁，
不要流淚，
不要閒談，
不要生氣。
還願團圓月，
保佑我們倆兒永歡喜！

—2—

歸去

暮色從窗外偷進來，
催得伊要起身走了。
我心中還想留伊多坐一刻，
可是這話不好再說了。

伊起身去拿伊的書包，
我向前把伊的書包扯住。
我心中有許多要說的話，
只是說不出來一句！

伊不肯來答聲句，
伊低下頭兒走去。
伊忽然回轉頭來，
對我含笑低語：
「讓你把書包留住，
我明天再來帶去。
我明天還是要來，
為何今天不讓歸去？」

—4—

我的心

紅的荷花，
綠的荷葉，
我的心兒是那樣顏色。
甜的桃子，
酸的梅子，
我的心兒是什麼滋味？
小鳥歌着，

微風吹着，
我的心兒爲什麼還跳着？

—6—

不幸

假如我是一塊笨頑的石頭，
我情願躺在通衢的大道上，
讓那些來來往往的人們，
在我的身上平平安安地走過。

假如我是一隻呆笨的駱駝，
我情願替那勞苦的人們，
負着千斤的擔子，
走過那艱難的寂寞的長途。

不幸我是一個弱小而且多愁的人
愛情在我的心中纏着，
希望在我的前面誘着，
人間的種種悲哀和煩惱，
在我的左右緊緊地環繞着。

我含着眼淚跪在上帝面前，
哀求他饒恕我過去的罪惡。
我用眼淚把罪惡都洗清了，

—8—

我的生命也就夢一般的消滅了。

只願

我只願寂寞無聊的死了，
　　葬在高高的山上：
那裏有親熱的太陽，
　　　有和藹的清風，
　　有婀娜的白雲，
　　有香艷的花草。
我生前飽嘗的人間的痛苦，
到那時都可以輕煙般的消滅了。

我只願孤單可憐的死了，
　　葬在深深的水底；
那裏有可愛的珊瑚，
　　有皎潔的白沙，
　有柔和的水草，
　有活潑的魚鰍。
我生前飽嘗人間的痛苦，
到那時都可以輕煙般的消滅了。

萬能的上帝！

這煩惱的人間！——
聽見的只有悲慘的呼聲，
看見的只有愁苦的臉孔，
遇見的盡是可怕的刀鎗。
我是一個懦弱而且無能的人呵，
不願再這般辛苦的活着了！

饒恕

無知的僕人，
他惱了你了，
說那樣侮蔑的話。

你不要生氣啊！
無知的人們的嘴，
是無法塞住的。

我低下頭來，

替他賠個不是，
請你饒恕他罷。
饒恕了這無知的人，
正同饒恕了我一樣！

—14—

送

出門正値狂風起。
欲喚狂風，
吹向雲中，
人兒來去太匆匆！

途中的悲哀

我的擔子太重了，
我的道路太遠了，
秋天是這般短，
我的心裏正焦急呢。
無端地接着爺爺來信，
悲傷地說是祖父死了。
三年沒見面的祖父，
如今是不能再見了！
衫袖揩不乾眼中的熱淚，

我的眼淚怎樣這麼多呢？
讓眼淚自由去流罷，
我仍舊挑着擔子走了。
迎面吹來的陣陣寒風，
吹得我好難堪呵！
也許人生只有悲哀罷。
我情願飄泊在悲哀裏，
頭也不回的向前途走去。
我把重大的擔子放在肩上了，
我不能再顧什麼家庭了！

得祖父死的消息後

—18—

疑心

清潔的池水，
無端被狂風吹起了一層薄浪。
風去了，
浪平了，
池水仍舊平如鏡。……
只可惜他們已經起了疑心了！

迷漫的黑雲，
遮住了青天的本來顏色。

雲散了，
日出了，
青天還是青如然。
只可惜他們已經起了疑心了！

－－20－－

種樹

園裏的黃花開了，
這是我從前撒下的種子。
我本爲我自己而種花，
看花的人們也個個歡喜。
等花飛了，
黃花死了，
剩下的只有幾根枯梗
我不能再種黃花，

因爲我沒有剩餘的種子。
我在這荒地的園裏，
栽種了幾根垂柳，白楊……
人們沒有黃花看了，
大家罵我是個壞子。

經過了十餘載的風霜，
白楊和垂柳都已經長成了。
白天我坐在垂柳底下，
垂柳替我遮去了日光；

—22—

傍晚我站在白楊身邊，
靜聽白楊臨風蕭蕭地微語。

無字的信

我寫了半天的信，
仍舊是一張白紙。
我有滿腦悲酸的話，
只是寫不出一個悲酸的字。

我寫了半天的信，
仍舊是一張白紙。
我那滿腦的悲酸的話
却變成滿眼的悲酸的淚。

—24—

我寫成一封無字的信，
洒上幾滴悲酸的淚。
我拿出一個無字的信封，
用淚珠把牠珍重封起。

這是一封無字的信
這信中的意思無人懂得！
把牠寄給我心愛的情人，
她的淚珠自然會把信中的意思看出！

自慰

忘記了我，
忘記了伊，
更忘記了別離，
不要想伊，
也不要恨伊，
把我的心兒寄在雲裏。

菊花悄悄地謝了，
樹葉悄悄地落了

蕭條庭院，
整日地沒有人來！
把門兒關起，
蓋着被兒睡了。

拒絕（爲朋友C君作）

我們不懂得相思，
我們也用不着寫信，
我們每天打一次電話，
把一點一滴的事都互相告訴了。

我有時纏着要伊講個笑話，
伊便帶笑罵道：
『頑皮的孩子，
又淘氣了！』

—28—

伊不肯講笑話，
却把從課堂裏聽來的話都告訴我。
伊知道的，
我也知道了。

我每星期去看一次，
見面只是痴呆的對着，
因爲我們心裏要說的話都說完了。
那一天，
星期六的早上？

伊忽然打個電話給我，
堅決而且悲哀地說：
「明天你不要來了！」
我問伊什麼理由，
我說了半天的好話，
我急得像小孩一般地要哭了。
伊終不肯把話說明白，
沉默了一會，
便把電話掛上了！

—30—

我那一天整天沒有吃飯，——
晚上更一刻也不能安睡了：
躺在牀上翻來覆去的想，
終於忍不住嗚嗚咽咽地哭了。

第二天早上，
天沒有亮我便起來了。
站在門口等着太陽出來，
便連忙坐着車走了。

「也許伊不肯出來會我罷，
我坐在車上越想越害怕了。
車兒不知不覺地到了伊家門口，
我沒奈何紅着臉子進去了。

我此時好像有罪的囚人，
只等着法官的來到的判決了。
伊果然還肯出來會我，
但沒有坐下又走進了。

—32—

我噙着眼淚走出伊家的門——
眼前也有來來往往的行人，
我似乎被人們擠在世界之外了。
春風陣陣地吹來，
吹散了我三年來的夢想！
我只期待着人們把我埋在那冷酷的地下，
沒法子再住在這寂寞的人間了！

迷途

——憶死友胡思永

再沒有人罵我了，
再沒有人打我了。
我是一個糊塗的人，
飄零在
　　這許多歧路的
　　沙漠的世界上，
我怕要愈走愈入迷途了，
黑暗迷漫了大地，……

— 34 —

吹我有無情的風，
淋我有殘暴的雨，
我的身子不住的顫抖，
兩腿也已經發酸，
我眞一步也不能向前了。
還有誰呢？
誰還同你一般的告訴我
明天有美麗的太陽，
勉勵我勇猛地向前走呢？
我的胆子眞太小了！

我彷徨在歧路的中間！！
我怕前面有陷人的深坑，
我怕前面有險峻的絕壁，
我怕前面有凶惡的虎豹。
　還有誰呢？？
誰還同你一般的告訴我
　前面有美麗的花草，
勉勵我勇猛地向前走呢？？
我是一個無能而且懶惰的人，
　時常躺在半途的

老樹底下睡眠，
幾次為你的慈愛的手杖，
驚醒了我的好夢，
我更怕聽見你的
嚴厲的罵聲，——
有你在人間，
我就是糊塗
也許不致於永久糊塗呵！
但是如今還有誰呢！
這樣寂寞的人生的旅路上，

只剩下我孤零零的獨自走着……
衫袖揩得乾眼中的熱淚，
什麼揩得去心中的悲哀呢？

月下的伴侶

我們低着頭兒走着，
三個影子在地上跟着：
是這般月白風清的良夜，
却微微地感覺人間的寂寞和悲哀，
把手兒掩着鼻頭，
讓雙足陷在那污濁的灰塵裏！
——守方走得太快，
——樹人看看有些趕不上了。
可憐的怯弱而遲緩的人呵！

我想回頭伴着樹人，
又怕離前面的守方更遠了。
呵，我不能學尼采，
我也不願學托爾斯泰；
讓伊努力走伊自己的路，
我也努力走我自己的路罷！

無聊地走去，
又無聊地回來了。
在寂寞的歸途裡，

-40-

守方携着樹人的手兒，
顯出和藹而且親愛的樣子；
樹人的遲緩的脚步，
似乎比從前快些了。
呵，但願悲慘的人間，
强者都這麽辅助弱者罷！
數不清的兄弟姊妹們，
大家都携着手兒，
向進步的前途走去。
但這也不過是一個夢罷！

—41—

陰險而狡猾的人們，
誰願意和誰攜手呢？
我低着頭兒空幻地想，
腦中充滿了失望和悲哀。
伊們的宿舍，
却忽然呈顯我的眼前了。
爲免却人們的疑心和猜忌，
我只好孤單單地在門口站着；
凄涼的我，
伴着一個凄涼的影，

42

在這淒涼午夜的北京城，
那裡去找我的歸宿呢？
十幾年來的悲哀事，
潮也似的湧上我的心頭來。
呆笨而殘酷的上帝，
把痛苦的生命，
緊緊地纏在我的自由的身上。
我願意把生命拋却」，
呵，假使我有短刀呵，
假使我有毒藥呵！

一拳

女兒家，
沒胆子，
伯伯關她閨房裡。
要是我是女兒時，
一拳打得伯伯死

寄曙天（四首存一）

兩月辛苦寸心知，
詳言當待君來時。
日日愛君君愛我，
江南江北盡相思！

道理

公說公的理，
婆說婆的理
媳婦不說話，
好像無道理

婆婆打媳婦，
媳婦不做聲。
雙手遮住打，
婆婆喊救人。

—40—

公公趕來看，
更把媳婦打：
婆婆向前勸，
公公反說
「媳婦打了婆！」

病中寄知行先生（四首存二）

吟詩作畫興若何？
愧我年華病裏過。
病中常苦吟詩累，
不想吟詩詩更多。

自從病後晚難睡，
臥看明月到樓頭。
兩年幾見月圓缺，
月缺月圓一樣愁！

—48—

（註）知行先生近嗜吟詩繪畫。

早起

徹夜狂風吹到曉，
浮雲散盡無踪跡。
臨風小立在窗前，——
底事昨宵輾轉不成眠？

深葬

有淚無處哭，
西風好相吹；
有情無處愛，
明月任人窺。

風停淚未止，
月隱愛猶留。
熱情終無奇，
深葬北山頭。

爲死友思永作。詩之第一段第二行末一字原爲「揮」，今作「吹」適之先生所改。

寄

匆匆別恨又經年，
無限相思兩淚懸。
嫦娥不管痴人妬，
偏在天邊獨自圓。

對君小影凝神看，
背人偷將珠淚彈。
假作眞時眞亦假；
別爲離境見尤難！

殷殷只藉遞信來，
聚首無期亦可哀。
悵望遙山無限恨，
夕陽影裏獨徘徊。

--54--

給不幸的朋友

河中的水結成冰了，
林裏的樹落了葉了，
你來看我，——
我們從前是不相識的。

那時我正失戀：
你說，『罷了！
伊不愛你，一腳踢開好了！』

在堅冰上我們談過，
在雪地上我們玩過，
你走了，
我們只見過三次的面

你在信上自稱姊姊。
我也願意做你的弟弟。
但是，命運呀！
牠偏不許我們這樣到底！

—56—

河中的水成冰了，
林裡的樹落了葉了，
這正是去年你來看我的時候。

我現在是我的伊的人了；
而且你，可憐的你呀，
爲了他，瘋了，
雖然我還不知道他是誰。

不幸的朋友！

我爲你流下許多眼淚。
也許你今生就是這樣犧牲了！……
但是世界能有最後裁判的一天，
上帝終不能將你的眞情忘記！

閃爍的小星

伊像太陽一般的，每天來了又去。
我自已孤獨地度過寂寞的長夜。
一月了，兩月了，一年了，兩年了，
伊仍舊像太陽一般的，每天來了又去。
我刻骨地愛伊，但我却不敢留住伊。
房門外的塵土上，每天印着伊的足印。
我隨着足印去尋伊，尋着的却是那天上的自由的飄泊的浮雲。
浮雲裏隱着幾個閃爍的小星，我於是想像伊是住在星裏。

光陰流水般過去，我的頭髮漸漸白了，臉上也長了很長的鬍子

伊仍舊像太陽一般的，每天來了又去。

伊總是那麼活潑，快樂，聰明，康健。

我每晚站在星星底下望伊，只是望不見伊的蹤跡。

我想像伊一定是天上的什麼女神，可是我又不能叫出伊的名字。

那一天，太陽來了，太陽走到天空，我仍舊聽不見伊的脚步的響聲。

我開了房門望伊，一直望到深夜。
浮雲散了，星兒出來了，我忽然望見伊，披着短髮，拿着明燈，站在羣星的中間。
我說：「我愛的女神！你走了，我也要走了！」

心境

（病中譯呈曙天妹）

山上的人愛上山，
海邊的人愛下水。
你是我的心上人，
我的心兒只愛你。

籠鳥振翼思高飛，
獄囚拚命想逃走。
我也對你窩賊着，

—62—

給我自由只有你。

病中讀 Sara Teasdale 女士選的『女子情詩一百首』，得到許多慰安。Florence Wilkinson 女士作『心境』(The Heart,s Country) 一詩，兩年前曾試譯一次，頗不愜意。此次曙天妹要復我重譯，昨夜信筆寫來，覺與原詩意境風格，尚不大謬，大膽寄交副刊發表，從伊之囑也

病中

—63—

原詩

THE HEART'S COUNTRY

Hill people turn to their hills;
  Sea folk are sick for the sea:
Thou art my land and my country,
  And my heart calls out for thee.

The bird beats his wings for the open,
  The captive burns to be free;

But I-I cry at the window,
For thou art my liberty.

Florence Wilkinson

情歌

我愛我的生命，
但是還不如愛你。
我把我的生命給你，
像一朵花兒給你。
願你沉埋在花的芬芳中，
享受着剎那間的安慰。
我愛我的生命，
但是還不如愛你。

我愛我的生命，
但是還不如愛你。
我把我的生命給你，
像——拍拍的情歌給你。
把寂寥時節的美麗，
向着你的靈魂告訴你。
我愛我的生命，
但是還不如愛你。

我愛我的生命，

但是還不如愛你。
我把我的生命給你，
像一件外套給你。
願你披上這件外套，
放在我和你的心的中間，
抵抗那外面吹來的狂風雨。
我愛我的生命，
但是還不如愛你。

—68 –

LOVE SONG

I love my life but not too well
  To give it to thee like a flower,
So it may pleasure thee to dwell
  Deep in its perfume but an hour.
I love my life, but not too well.

I love my life, but not too well
  To sing it note by note away,
So to thy soul the song may tell
  The beauty of the desolate day.

I love my life, but not too well.

I love my life, but not too well
  To cast it like a cloak on thine,
Against the storms that sound and swell
  Between thy lonely heart and mine.
I love my life, but not too well.

Harriet Monroe

—70—

恐佈

頻將電話訴衷情，
無奈聞聲不見人。
還有癡言不敢訴，
隔窗怕有旁人聽。

津浦車中口占

——從南京至天津——

朝爲江南客，
暮作江北人。
曉風吹殘月，
何處不傷神！

附錄

小別贈言

你冒着寒風回去，去到你的寂寞的故鄉，聽說那裏的戰場上還躺着許多人骨和馬骨。你含着熱淚去慰問你的可憐而多病的母親，在那虎狠般的軍隊充滿了的鄉村裏。我將怎樣震顫而担心呢！

爐中的火已經壯了，我們移近椅子坐在爐旁。

我爲你　熱了幾顆栗子，我爲你剝開了幾粒花生，我爲你酌滿了一杯開水。我愛，這是我替你餞行的筵席。

我用震顫的手指，撫摩你的芬芳的，柔軟的，的剪短了的頭髮。別離的痛苦瀰漫了我的心，我說不出什麽；只凝視着你的美麗而流動的雙眼，像流星一般閃爍的雙眼。

靜默的午夜已經走了，積雪還沒有融消，柏樹顯着祈禱的神氣站在那裏。

玄青色的天空，稀疎的星星，明月乘着白雲的小舟在空中行走。

我愛，這是我們的別離時候！

你走了，我嘗回到我的小室中，把門兒關着。

我將珍重着地上的灰塵，因爲這是可愛的你每天踐踏過的；在寂寞的燈光下，我將低着頭兒細尋你的足跡。我將每

—76—

夜為你祈禱，對着天上閃爍的明星。

白天裏狂風亂吹，我將為你而走到無人的曠野，在呼呼的風聲中我希望能聽到從遠地吹來的你的音息。

留一幅戰場的慘景在你的腦畫中吧，灑數滴傷心的熱淚在母親的胸懷裏吧，我愛，你應該珍重！這世界從古便支配在 Mars 手裏！我們有什麼能力呢？我們且努力高唱愛之歌吧，在 Mars 的脚跟未踏到我們身上以前！

你走的那日。

悲哀的回憶

『我雖然讚美血和淚，我也不曾忘了愛和花。』思永微笑地說，無力地躺在籐椅上，我微笑地聽着，沒有說些什麼。這是去年梅花初開的時節的事。園裡的榴花紅了，可憐的思永却已經死了兩個月了！

我早就武斷地說：思永的死，失戀是最大的原因！假使愛神不把思永關在門外，思永的病決不會那麼兇，思永也決不會死得這麼早。可憐的思永呵！伊的一封封的情書，都還珍重地藏在箱裡；你的一首首的情詩，都還甜蜜地黏在紙上！浮雲般的女郎的心呵！烈火般的青年的夢呵！我想起你

—78—

們，忍不住滿眼傷心的熱淚！

什麼是人生的究竟呢？爲着眞理而被書籍壓死的人們是値得崇拜的；爲着自由和正義而被槍砲轟死的人們是値得讚美的；爲着愛情而被悲哀放在脚下踏死的人們是不是値得崇拜和讚美呢？我不是哲學家，我却偏要大胆的說：像枯葉一般的生，倒不如像落花一般的死！

可讚美的像落花一般的思永呵！

滔滔的愛河，我們原也滾在波濤裡；然而爲着茫渺的前途，我却忍不住這麼深深禱告了：

「仁慈的上帝呵！假如愛情的心裡只有金錢和虛榮，請你把眞實的熱烈青年，早些釘在十字架上罷！」

—80—

懷燒餅店中的小朋友

離帝王廟幾十步遠的街上，有一個狹小的燒餅店。店中右邊是一個茶館，茶館前面擺着很多的小攤：賣瓜子花生的，賣破衣破鞋的，賣糖果破書的。燒餅店的出品，多半供給那茶館中閑談的人們和那些擺攤的小販子。但有時有三五往來的洋車夫，偶然也跑去光顧幾個燒餅，至於穿長袍載金絲眼鏡去買燒餅的，也許只有我老章一人能。

我總覺得燒餅的滋味比什麽不中不西的來今雨軒或西車站食堂的大菜好得多，尤其是和花生混合起來吃。但伺調的盡是那些苦朋友，他們每天弄得幾個買燒餅的銅子，已經很難了，那裏還有餘力去買花生說起來吃呢？所以我好次幾想買一塊大洋花生，兩塊大洋燒餅，在茶館中開個「燒餅會」。明知是邀不到北京的一切闊老和那些聚餐會的文豪們，但我知道那些擺攤的，拉車的，以及一切苦朋友們，一定是惠然肯來的，只可惜我的工作太忙了，一方面又因爲三塊現洋很難籌措，所以這個燒餅會到今天還沒有舉行！

那燒餅店裏一共兩個人：一個主人，大約有四十歲以上的年紀，臉色蒼黃，而且憔悴，當我每次去買燒餅的時候，他總是拿着碗茶坐在桌旁慢慢地喝，好像這世界在他看來是沒有什麼事可做了。站在火爐旁做燒餅以及拿燒餅給客人

—82—

的，是一個孩子，十三四歲的年紀，圓團團的臉，破衣裡現出活潑而且强健的身體。我因爲買燒餅的次數太多了，所以有一天竟和他攀談起來：

『你姓什麽，小孩子？』

『我姓王！』

他第一次聽見我問他的話，好像很奇怪似的，眼光閃閃地在我的身上不停地望。我頓然感覺十分悲哀和寂寞。我身上的衣服竟把我和這個小朋友隔開了，我怎樣能夠叫他知道我也是同他一樣的可憐呢？

但後來終於漸漸地和這個小孩子相熟了，我從他的談話中知道他是本京人，家裏什麼人也沒有了，所以在這裡學做燒餅，燒餅當飯是吃店中的，一年還有一塊大洋工錢。我近來因爲受「陶知行先生的平民教育的傳染，所以有一天覺得他讀書：：

「你願意讀書嗎？」

「我願意，但我白天沒有工夫。」

他說完這句話，把臉兒望望他的主人。我知道他是不自由的，於是便同那蒼黃臉兒的主人談了半天我的來歷，和小孩應該識字的利益。那個主人總算不十分頑固，一方面也許是不敢得罪我這個體面的主顧，所以臉上表示十分贊成的顏色，笑着說：

『只要他自己願意，晚上橫豎沒有什麼事。』從那一天以後，我便送了他四本「平民千字課」。我又告訴他，我每天晚自己要讀書，所以不能來教他。他於是自己到對門雜貨舖中去找了一個夥計，他是識字的，他同這個小孩很熟，願意每晚教他。後來我每次去買燒餅，總問問他書中的生字，或者叫他讀一課給我聽。他讀錯的時候很少。「平民千字課」該常要一個月讀一本的，但他一月竟讀了兩本！我於是十分歡喜，有時和陶知行先生談起，我總說我找着一個好學生了，這個好學生在燒餅店裡！

我每天吃過午飯總照例要到帝王廟門口走幾分鐘的。有一天，那個孩子正在燒餅店門口和旁的孩子們玩，遠遠瞧見了我，便很歡喜的跑來：

『先生，你是北京人嗎？』

這是他同我做朋友後第一次問我的藉貫，我眞快樂極了，便答他：

『我不是北京的，我是安徽績溪縣人。』

『你也回家嗎？』他問

『我已經好幾年不回家了。』我答。

他問起我的傷心事來了，我又不好告訴他我不回家的原因，只得含糊答他：

『我的家庭同我思想不合。所以我不回家，也許永遠不回家的！』

我眞傻了！這小孩子懂得什麼叫做『思想不合』呢？他聽見我的話想了一刻，似乎很替我悲傷地說：

『那嗎，你也很可憐呵！』

『是的，我同你一般可憐！』

『你有沒有好朋友呢？』

『我有，我只有一個好朋友，我的最親愛的。』

我又傻了！我告訴這小孩子什麼『我的最親愛的』，他懂得什麽『愛』『不』『愛』呢？我於是有些臉紅了，不好意思的對他說：

『再會，小朋友，我要工作去了！』

○　○　○

最近五六天來，我因爲晚上失眠，又似乎有些病了，所以沒有出門。昨天下午身體好了一點，偶然到街上寄信，經過燒餅店門前，我似乎沒有看見那圓臉的小孩，心中覺得十分奇怪。回來時有些放心不下，於是便走進燒餅店去看看。那站在火爐前的，不是圓臉小孩，而是黃臉主人了，我於是便急急地問：

「你的徒弟呢？」

「他走了！」

到那裏去了？」

「他走了，他走了！」

這貢臉漢子的聲音表示他十分不高興，我不好意思再問下去，只得悵惘地回來了。這正是狂風亂吹的春夜，我坐在我的寂寞的房裏，「晚來香」吐出芬芳的香昧來安慰我，我的心兒無論如何也不能平靜下去了。可憐的圓臉的小孩呵！你現在飄泊在什麼地方呢？只有你的命運也許知道罷！我又想起這樣活潑，强健，聰明的一個小孩，倘若能使他由小學而中學而大學，假如他能到美國去留學，他也許能進什麽哥倫比亞得一個博士回來；假如他能到英國去留學，他也許可進什麽康橋大學，也可於課餘帮着人家去踏破羅素，威爾士一流名人的門檻；假如他能到法國去留學，他也許可以里昂巴黎的東西奔走，只怕他又染了一身梅毒回來！我愈想愈糊塗了。往日我只要喊着我的愛人的小名，便能安靜地睡着了，但今天却無論如何，無論如何把我的愛人的小名喊一千遍，再也不能平平安安地睡着！

（春風沉醉的晚上）

—90—

(二)泮水詩集　同心著

(三)大西洋之濱　春臺著

(四)賭徒　李秉之譯

(五)斷片之回憶　曙天女士作

(六)雪女王　林蘭女士譯

文藝小叢書

一九二五年七月出版

(一冊二角五分)

作者　章衣萍

編者　吳曙天

印刷者　中國印書局

發行者　北京北新書局　北京東城翠花胡同

種樹集

章衣萍 著

北新書局（上海）一九二八年十一月初版，
一九二九年六月再版。原書三十二開。

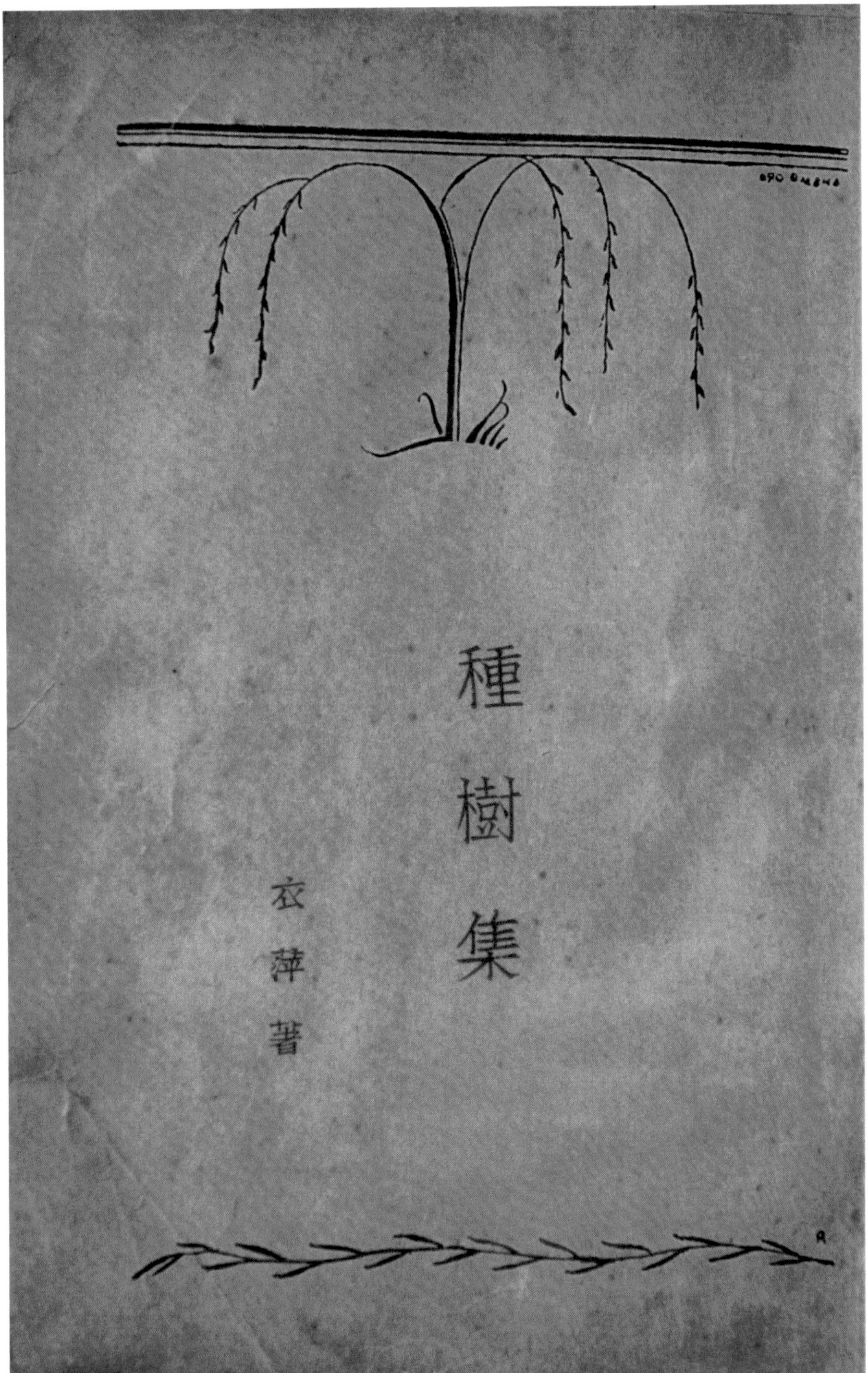

種樹集

衣萍著

種樹集

衣萍著

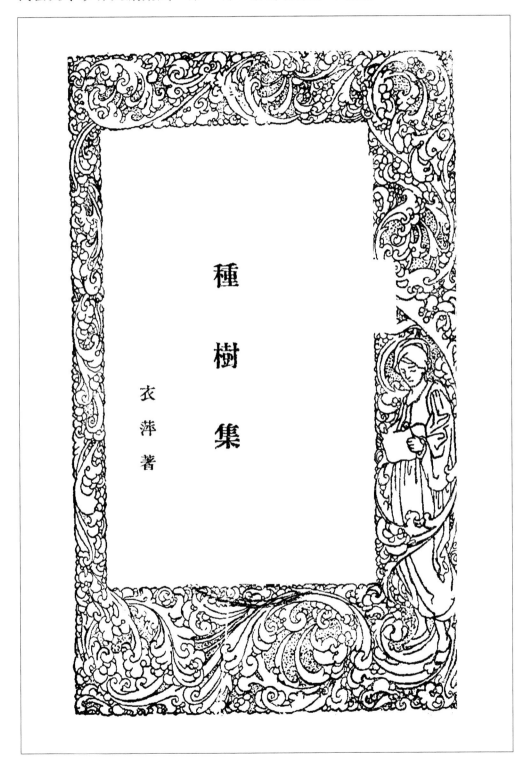

種樹集序

我自己知道不是一個詩人，所以有時很久做不成一首詩，我做詩，正如一個朋友所說：『要詩來找我，我不去找詩。』去年一年在上海灘上是一首詩未做，前年一年僅僅做了一首「朝朝一闋」。自己也覺得我的心境是怎樣乾燥與荒涼。回想從前躲在古廟裏高吟「可愛的女郎」的神氣，自己也不禁無聊的微笑起來，雖然嚴肅的秋風拂過我的面前，臉上的無聊的微笑也就暫時消失於無可奈何的太空中。我的確寂寞極了。然而，雖然寂寞，我的心究竟還不能無所糾纏。我自己也曾在寂寞的古廟住過六年，終於不能走到佛家的路上去，這因爲我的糾纏太多了，而我又不願意解脫。嗚呼，我就這樣永遠糾纏下去也罷，沒有糾纏，不是人生。

爲了結集我的初期的作品，所以有這冊「種樹集」的印行。這冊中所錄的詩，較之已經絕版的「深誓」已經多了若干首了。但也有幾首原稿已失不及編入的。中國初期的新詩多數犯了太明白之病。從胡適之康白情以至汪靜之的詩，多數是太明白而缺少含蓄。我自己的詩也犯了太明白之病。英人愛理司（Havelock Ellis）在他的「感想錄」（Impressions And

— 2 —

Comments)上說：『藝術的表現，單靠明白是不成什麼東西的。』他又說：『要明白，要明白，可是不要太明白。』這實在是我們很好的教訓。近年國內的詩人是比芝蔴還多了，而且據說已經有了「詩壇」，而且新詩已經「入了軌」。究竟這已經「入了軌」的「詩壇」上的情形怎樣，我這軌外漢也不大了然。只眼見湊韻腳的十幾個字排成一句的所謂「豆腐干」式的新詩的橫行，（老實說，還不如做五言七律，塡詞好。）而從前文學革命時代提倡的詩式解放的精神，也已經奄奄一息了。

而且這時代據說已經是革命時代了，於是「打呀！」

「殺呀！」「幹呀！」的革命詩又鬧了一夥。我自己知道從前不曾衝過鋒，打過仗，不是一個革命者，現在也犯不着假充一個革命來虎人。所以「種樹集」裏是一首革命詩也沒有的。當然嘍，「種樹集」的詩多數是古廟中做的，關於女人的詩最多。而且其中有一首「幻想」，當我將這詩發表在北京報紙上的時候，胡適之先生曾寫信給我，說「這首詩應該打手心。」但同時有一個不相識的北京大學的女生寫了一封信給我，勸我不要做這樣的詩了，她讀了十分傷心的。這首「幻想」的價值究竟怎樣，只好待讀者們的評判了。

我病得太久了，從去年重陽病起，已經一年多了。在過去的三個月中，我病在上海鄉下的一個醫院中，因爲心裏太寂寞而且悲哀了，所以什麼書也不願意讀，只有一本「聖經」在我的手邊，不時翻閱着。我最愛讀聖經中的「雅歌」，於是不知不覺地做了許多小詩，自己覺得思想與形式全變了，但這些小詩現在是不能刊出來的，因爲中國現在正是「法利賽」人得意的時代，且寫下一首，給同好的朋友們看看罷：

風呀，
你不要吹開我的房門，
因爲我正躺在牀上

看我的愛人的雙乳。

一九二八，十一，三。衣萍序於

林肯坊三十二號。

種樹集

歸去集

朝朝集

種樹集

種樹

園裏的黃花開了，
這是我從前撒下的種子。
我本爲我自己而種花，
看花的人們也個個歡喜。
雪花飛了，
黃花死了，
剩下的只有幾根枯梗。

我不能再種黃花，
因爲我沒有剩餘的種子。
我在這荒地的園裏，
栽種了幾根垂柳，白楊。——
人們沒有黃花看了，
大家罵我是個傻子。

經過了十餘載的風霜，
白楊和垂柳都已經長成了。

— 4 —

白天我坐在垂柳底下，
垂柳替我遮去了日光；
傍晚我站在白楊身邊，
靜聽白楊臨風蕭蕭地微語。

只願

我只願寂寞無聊的死了，
　葬在高高的山上：
那裏有親熱的太陽，
　有和藹的清風，
　有婀娜的白雲，
　有香艷的花草。

— 6 —

我生前飽嘗的人間的痛苦，
到那時都可以輕烟般的消滅了。

我只願孤單可憐的死了，
葬在深深的水底：
那裏有可愛的珊瑚，
有皎潔的白沙
有柔和的水草，
有活潑的魚鰍。

我生前飽嘗人間的痛苦，

到那時也可以輕煙般的消滅了。
萬能的上帝！
這煩惱的人間！——
聽見的只有悲慘的呼聲，
看見的只有愁苦的臉孔，
遇見的盡是可怕的刀鎗。
我是一個懦弱而且無能的人呵，
不願再這般辛苦的活着了！

—8—

不幸

假如我是一塊冥頑的石頭，
我情願躺在通衢的大道上，
讓那些來來往往的人們，
在我的身上平平安安地走過。

假如我是一隻呆笨的駱駝，

我情願替那勞苦的人們，
負着千斤的擔子，
走過那艱難的寂寞的長途。

不幸我是一個弱小而且多愁的人——
愛情在我的心中纏着，
希望在我的前面誘着，
人間的種種悲哀和煩惱，
在我的左右緊緊地環繞着。

—10—

我含着眼淚跪在上帝面前，
哀求他饒恕我過去的罪惡。
我用眼淚把罪惡都洗清了，
我的生命也就夢一般的消滅了

途中的悲哀

我的担子太重了，
我的道路太遠了，
秋天是這般短，
我的心裏正焦急呢。
無端地接着爺爺來信，
悲傷地說是祖父死了。

—12—

三年沒見面的祖父，
如今是不能再見了！
衫袖揩不乾眼中的熱淚，
我的眼淚怎樣這麼多呢？
讓眼淚自由去流罷，
我仍舊挑着担子走了。
迎面吹來的陣陣寒風，
吹得我好難堪呵！
也許人生只有悲哀罷。
我情願飄泊在悲哀裏，

頭也不回的向前途走去。
我把重大的担子放在肩上了，
我不能再顧什麼家庭了！
得祖父死的消息後

—14—

疑心

清潔的池水，
無端被狂風吹起了一層薄浪。
風去了，
浪平了，
池水仍舊平如鏡。——
只可惜他們已經起了疑心了！

迷漫的黑雲，
遮住了青天的本來顏色。
雲散了，
日出了，
青天還是青如黛。——
只可惜他們已經起了疑心了！

—16—

迷途

——懷死友胡思永——

再沒有人駡我了，
再沒有人打我了。
我是一個糊塗的人，
飄零在
　這許多岐路的

沙漠的世界上，
我怕要愈走愈入迷途了，
黑暗迷漫了大地，——
吹我有無情的風，
淋我有殘暴的雨，
我的身子不住的顫抖，
兩腿也已經發酸，
我眞一步也不能向前了。
還有誰呢？
誰還同你一般的告訴我

明天有美麗的太陽，
勉勵我勇猛地向前走呢？
我的胆子眞太小了！
我徬徨在歧路的中間——
我怕前面有險峻的絕壁，
我怕前面有凶惡的虎豹。
還有誰呢？
誰還同你一般的告訴我
前面有美麗的花草，
勉勵我勇猛地向前走呢？

我是一個無能而且懶惰的人。
　時常躺在半途的
　老樹底下睡眠，
幾次爲你的慈愛的手杖，
驚醒了我的好夢，
我更怕聽見你的
　嚴厲的駡聲，——
有你在人間，
我就是糊塗
也許不致於永久糊塗啊！

—20—

但是如今還有誰呢！
這樣寂寞的人生的旅途上，
只剩下我孤零零的獨自走着：
衫袖揩得乾眼中的熱淚，
什麼揩得去心中的悲哀呢？

一拳

女兒家，
沒胆子，
伯伯關她閨房裏。
要是我是女兒時，
一拳打得伯伯死！

我的心

紅的荷花，
綠的荷葉，
我的心兒是那樣顏色？
甜的桃子，
酸的梅子，

我的心兒是什麼滋味？

小鳥歌着，
微風吹着，
我的心兒爲什麼還哭着？

— 24 —

半夜

半夜裏醒了，
便再也難睡着了：
悲哀的事想起了，
輕烟似的過去了；
歡樂的事想起了，
也輕烟似的過去了。

『主呵！
假如生命是這般沒有意義的，
請你把生命拿走，
讓我永遠睡眠了罷！』

— 26 —

新生

不受人慰藉，
不要人哀憐。
下面是廣漠的地，
上面是蔚藍的天。
這是一座好舞臺，
任大好的我在中間自由旋轉！

把舊恨丟開，
把新愁趕走。
只望着前途努力，
不向那過去回首。
把眼中的熱淚都揮盡，
拿起杯來痛飲一杯「新生」酒！

—28—

歸去集

歸去

暮色從窗外偷進來，
催得伊要起身去了。
我心中還想留伊多坐一刻，
可是這話不好再說了。

伊起身去拿伊的書包，

我向前把伊的書包扯住。
我心中有許多要說的話，
只是說不出來一句！

伊不肯來奪書包，
伊低下頭兒走去。
伊忽然回轉頭來，
對我含笑低語：

—32—

『讓你把書包留住，
我明天再來帶去。
我明天還是要來，
爲何今天不讓歸去？』

無字的信

我寫了半天的信，
仍舊是一張白紙。
我有滿腦悲酸的話，
只是寫不出一個悲酸的字。
我寫了半天的信，

—34—

仍舊是一張白紙。
我那滿腦的悲酸的話，
却變成滿眼的悲酸的淚。

我寫成一封無字的信，
洒上幾滴悲酸的淚。
我拿出一個無字的信封，
用淚珠把牠珍重封起。

這是一封無字的信——

這信中的意思無人懂得！
把牠寄給我心愛的情人，
她的淚珠自然會把信中的意思看出！

深誓

雲時歡笑雲時愁，
雲時流淚雲時喜，——
我們兩個小孩子。
幾度偕遊談閒事，
幾度低頭嘔閒氣，——

我們兩個小孩子。

今夜月團圓，
對月深深誓：
願今後，——
不要憂愁，
不要流淚，
不要閒談，
不要生氣。
還願團圓月，

—38—

保佑我們倆兒永歡喜！

饒恕

無知的僕人，
他惱了你了，
說那樣侮蔑的話。

你不要生氣呵！
無知的人們的嘴，

—40—

是無法塞住的。

我低下頭來，
替他賠個不是，
請你饒恕他罷。

饒恕了這無知的人，
正同饒恕了我一樣！

月下的伴侶

我們低着頭兒走着，
三個影子在地上跟着：
是這般月白風清的良夜，
却微微地感覺人間的寂寞和悲哀，
把手兒掩着鼻頭，
讓雙足陷在那汚濁的灰塵裏！

— 42 —

守方走得太快，
樹人看看有些趕不上了。
可憐的怯弱而遲緩的人呵！
我想回頭伴着樹人，
又怕離前面的守方更遠了。
呵，我不能學尼采，
我也不願學托爾斯泰；
讓伊努力走伊自己的路，
我也努力走我自己的路罷！

無聊地走去，
又無聊地回來了。
在寂寞的歸途裏，
守方擕着樹人的手兒，
顯出和藹而且親愛的樣子，
樹人的遲緩的脚步，
似乎比從前快些了。
呵，但願悲慘的人間，
强者都這麼帮助弱者罷！
數不清的兄弟姊妹們，

大家都攜着手兒，
向進步的前途走去。
但這也不過是一　夢罷！
陰險而狡猾的人們，
誰願意和誰攜手呢？

我低着頭兒空幻地想，
腦中充滿：失望和悲哀。
伊們的宿舍，
却忽然呈顯我的眼前了。
爲免却人們的疑心和猜忌，
我只好孤單單地在門口站着，

淒涼的我，
伴着一個淒涼的影，
在這淒涼午夜的北京城，
那裏去找我的歸宿呢？
十幾年來的悲哀事，
潮也似的湧上我的心頭來。
呆笨而殘酷的上帝，
把痛苦的生命，
緊緊地纏在我的自由的身上。
我願意把生命拋却了，
呵，假使我有短刀呵，
假使我有毒藥呵！

— 46 —

拒絕

我們不懂得想思，
我們也用不着寫信，
我們每天打一次電話，
把一點一滴的事都互相告訴了。

我有時纏着要伊講個笑話，

伊便帶笑罵道：
『頑皮的孩子，
又淘氣了！』
伊不肯講笑話，
却把從課堂裏聽來的話都告訴我。
伊知道的，
我也知道了。
我每星期去看一次，
見面只是癡呆的對着，

—48—

因爲我們心裏要說的話都說完了。
那一天，——
星期六的早上，
伊忽然打個電話給我，
堅決而且悲哀地說：
『明天你不要來了！』
我問伊什麼理由，
我說了半天的好話，
我急得像小孩一般地要哭了。
伊終不肯把話說明白，

沉默了一會，
便把電話掛上了！

我那一天整天沒有吃飯，——
晚上更一刻也不能安睡了：
躺在牀上翻來覆去的想，
終於忍不住嗚嗚咽咽地哭了。

第二天早上，
天沒有亮我便起來了。

站在門口等着太陽出來，
便連忙坐着車走了。
『也許伊不肯出來會我罷，』
我坐在車上越想越害怕了。
車兒不知不覺地到了伊家門口，
我沒奈何紅着臉子進去了。

我此時好像有罪的囚人，
只等着法官的來到的判決了。
伊果然還肯出來會我，

但沒有坐下又走進去了。
我噙着眼淚走出伊家的門——
眼前也有來來往往的行人，
我似乎被人們擠在世界之外了。
春風陣陣地吹來，
吹散了我三年來的夢想！
我只期待着人們把我埋在那冷酷的地下，
沒法子再在這寂寞的人間了！

—52—

自慰

忘記了我，
忘記了伊，
而忘記了別離。
不要想伊
也不要恨伊，
把我的心兒寄在雲裏。

菊花悄悄地謝了，
樹葉悄悄地落了，
蕭條庭院，
整日地沒有人來！
把門兒關起，
蓋着被兒睡了。

幻想

我爲了你因相思而失眠，
但是，這有什麼要緊！
你，忍心同我絕交的，
靜悄悄地來了，
當我吹滅了燈的時候。
在黑沉沉的暗室裏，

我彷彿聞着你的芬芳的呼吸。
你坐在我的身上，
親熱熱地抱着我，
你愛我，
正同從前一樣。
我忘記了一切的苦惱，
靜聽你的音樂般的細語，
消磨這漫漫的寂寞長夜！
晨光在窗上笑了，

—56—

小鳥在林裏叫了，
你，整夜不曾睡眠的，
匆匆地挽着頭髮起來了。
我開了房門送你，
狂風吹亂了滿地的枯葉，
你便在枯葉中消失了。
我，我像失了母親的孩子似的，
癡惘地悵迷地在風中站着。
「回來呀，母親！」
我從早上喊你，

一直喊到天晚！

閃爍的小星

伊像太陽一般的，每天來了又去。
我自己孤獨地度過寂寞的長夜。
一月了，兩月了，一年了，兩年了，
伊仍舊像太陽一般的，每天來了又去。
我刻骨地愛伊，但我却不敢留住伊。
房門外的壓土上，每天印着伊的足印。

我隨着足印去尋伊，尋着的却是那天上的自由的飄泊的浮雲。

浮雲裏隱着幾個閃爍的小星，我於是想像伊是住在星裏。

光陰流水般過去，我的頭髮漸漸白了，臉上也長了很長的鬍子。

伊仍舊像太陽一般的，每天來了又去。

伊總是那麽活潑，快樂，聰明，康健。

我每晚站在星星底下望伊，只是望不見伊的蹤跡。

我想像伊一定是天上的什麽女神，可是我又不能叫出伊的名字。

那一天，太陽來了，太陽走到天空，我仍舊聽不見伊的脚步的響聲。

我開了房門望伊，一直望到深夜。

浮雲散了，星兒出來了，我忽然望見伊，披着短髮，拿着明燈，站在羣星的中間。

我說：『我愛的女神！你走了，我也要走了！』

給不幸的朋友

河中的水結成冰了，
林裏的樹落了葉了，
你來看我——
我們從前是不相識的。
那時我正失戀：

你說，『罷了！
伊不愛你，一脚踢開好了！』
在堅冰上我們談過，
在雪地上我們玩過，
你走了，
我們只見過三次的面。
你在信上自稱姊姊。
我也願意做你的弟弟。

但是，命運呀！
牠偏不許我們這樣到底！

河中的水結成冰了，
林裏的樹落了葉了，
這正是去年你來看我的時候。

我現在是伊的人了；
而且你，可憐的你呀，
爲了他，瘋了，

雖然我還不知道他是誰。

不幸的朋友！
我爲你流下許多眼淚。
也許你今生就這樣犧牲了！
但是世界能有最後的裁判的一天，
上帝終不能將你的眞情忘記！

朝朝集

朝朝一闋

朝朝望郎來，
夜夜催郎去。
只爲年年伴病魘，
不敢留郎住。

倦起寫秋山，

添個雁飛去。
雁在天涯郎在心，——
『愁在無人知處！』

寄曙天

底事今宵作書難？
凝思對扎到燈殘。
歌哭都非消遣計，
取君小影帶愁看。
心魂朝夕漯河邊，

飄飄柳葉護輕煙。
知君工愁復善病，
幾度深思總悵然。

兩月辛苦寸心知，
詳言當待君來時。
天底愛君君愛我，
江南江北盡相思！

孤房寂寂宵寒生，

—70—

窗外風吹樹動聲。
病後思君惟好夢，
今宵好夢也難成！

寄——

匆匆別恨又經年，
無限相思兩淚懸。
嫦娥不管癡人妬，
偏在天邊獨自圓。
對君小影凝神看，

背人偷將珠淚彈。
假作眞時眞亦假；
別爲難境見尤難！

般般尺素幾曾來，
聚首無期亦可哀。
悵望遙山無限恨，
夕陽影裏獨徘徊。

無聊且向月中行，

獨步清宵夢不成。
白雲歸盡天如洗，
癡人別是一般情！

恐怖

頻將電話訴衷情，
無奈聞聲不見人。
還有癡言不敢訴，
隔窗怕有旁人聽。

道理

公說公道理，
婆說婆的理。
媳婦不說話，
好像無道理。
婆婆打媳婦，

媳婦不做聲。
雙手遮住打，
婆婆喊救人。

公公趕來看，
更把媳婦打。
嬸嬸向前勸，
公公反說：
『媳婦打了她！』

牛歌

牛兒在前耕，
人兒在後趕。
牛兒耕倦了，
想休息一下；
人兒生了氣，
拿鞭狠命打。

—78—

稻兒生了穀，
人兒收回家。
牛兒沒有分，
眼睛望巴巴。

殘飯吃不完，
人兒給猪吃。
猪兒不做事，
在欄睡倒吃。

牛兒看見了，
心中十分惱。
吊高了喉嚨，
罵人不公道：

『豬兒不做事，
天天吃得飽。
我們這樣苦，
還是吃青草。

—80—

秋冬草枯時，
肚中常不飽。
人兒做的事，
太不講公道！」

明年耕田時，
牛兒睡不起。
人兒動了氣，
一刀送牠死！

津浦車中口占

——從南京至天津——

朝為江南客，
暮作江北人。
曉風吹殘月，
何處不傷神！

深葬

有淚無處哭，
西風好相吹；
有情無處愛，
明月任人窺。

風停淚未止，

月隱愛猶留。
熱情終無寄，
深葬北山頭。

爲死友思永作。詩之第一段
第二行末一字原爲「揮」，
今作「吹」，適之先生所改。

病中寄知行先生（四首存二）

吟詩作甚興若何？
愧我年華病裏過。
病中常苦吟詩累，
不想吟詩詩更多。

自從病後晚難睡，

臥看明月到樓頭。
兩年幾見月圓缺，
月缺月圓一樣愁！

（註）知行先生近嗜吟詩繪畫。

—86—

醉酒歌

喝酒罷，不要想！
爐子熄了，燈還亮。
不肯睡了，怕夢長。
喝酒罷，不要想！
我要高飛兮，無羽翼；

星星在天兮，我心急！
喝酒罷，不要想！
我要殺人兮，刀不快；
刀不快兮，我心亂。
喝酒罷，不要想！
我要唱歌兮，歌不響；
我要做賊兮，無處搶。

喝酒罷，不要想！
西風緊兮，身無衣；
冬夜長兮，睡無妻。

喝酒罷，不要想！
我要當兵兮，怕砲打；
我要做官兮，無錢買。

喝酒罷，不要想！
離家十年兮，不能返；

父母衰老兮，無人管。

喝酒罷，不要想！
與件破衣兮，估幾斤酒；
舉起杯來兮，一飲十口。

喝酒罷，不要想！
東西南北兮，砲火冲天；
血肉滿地兮，無人可憐。

喝酒罷，不要想！
酒兒冷了，心還熱；
心中有愁，愁難說。

心境

——病中譯呈曙天妹——

山上的人愛上山，
海邊的人愛下水。
你是我的心上人，
我的心兒只愛你。

籠鳥振翼思高飛，
獄囚拚命想逃走。
我也對你密喊着，
給我自由只有你。

病中讀 Sara Teasdale 女士選的『女子情詩一百首』，得到許多安慰。Flor nce Wilkinson 女士作『心境』（The Hearts Country）一詩，兩年前曾試譯一次，頗不愜意。此次曙天妹要我重譯，昨夜信筆寫來，

情歌 (Love Song)

Havriet monroe女士作

我愛我的生命，
但是還不如愛你。
我把我的生命給你，
像一朵花兒給你。

願你沉埋在花的芬芳中，
享受着刹那間的安慰。
我愛我的生命，
但是還不如愛你。

我愛我的生命，
但是還不如愛你。
我把我的生命給你，
像一拍拍的情歌給你。
把寂寞時節的美麗，

—96—

向着你的靈魂告訴你。
我愛我的生命，
但是還不如愛你。

我愛我的生命，
但是還不如愛你。
我把我的生命給你，
像一件外套給你。
願你披上這件外套，
放在我和你的心的中間，

無刺的鮮花

別家鳳佩蘭

人們都是有刺的，
我也是有刺的。
只有你們倆
是無刺的鮮花。

許多的人恨我了，
許多的人怨我了。
只有你們倆
知道我太糊塗了。

我喜時告訴你們，
我悲時告訴你們，
我有羞告旁人的事
也紅着臉告訴你們。

在寒冬的夜裡，
在爐火的旁邊。
你們倆的好意殷勤
深深印在我和伊的心裡。

春風來了，
你們走了。
綠柳對着紅桃說：
「園裡只剩我們兩個了。」

寄友

寂寂嗟離別，
相逢再幾時？
汽鳴揮手去，
腸斷下舟時。
道遠書難寄，
郵來意轉疑。
別離滋味苦，

惟有月明知。

睡起憑欄立，
臨風憶舊歡。
雲山渺萬里，
悵望使心酸。
壯志何年展？
深情欲達難。
天南春訊早，
杯酒共盤桓。

別離歌

（爲今是學校一九二七年畢業生作）

曾在昆明湖畔住，
課餘來往夕陽底。
淒涼遺跡任徘徊，
多少興亡殘照裡。

求學難忘家國恥，
青年壯志何時已？
人生無盡願無窮，
小小別離尋常事。

過從

過從暮暮復朝朝，
一旦遷居路更遙。
夢裡往還魂亦苦，
病中慰問實心焦。
日長無計可消磨，

—106—

念到卿卿歎奈何！
情深力薄難爲助，
汗珠不若淚珠多。

窗外

窗外月朦朧，
枕上細語濃。
相思未訴了，
樓外五更鐘。

—103—

夜夜曲

前歲秋，余作「朝朝一闋」，刊於語絲，仲民見而讚之。彼時適秉璧有柏林之行。此一對少年新婚夫婦，遠別頗難分捨。秉璧行後，一夜，仲民在余家中，偕余及曙天看月，忽喟然有感曰：「恨不能邀秉璧同來看月。」余笑曰：「你夢裡可去邀他。」——今秋風送爽，明月將圓，久病索居，百無聊賴。午夜夢醒吟此，即寄柏林秉璧，北平仲民一笑。

夜夜夢中來，
抱郎眠月裡。
月作合歡牀，
雲作鴛鴦被。

月又向西沉，
雲又從南去。
醒來不見儂，
儂在郎心裡。

病院早起

（玉樓春）

漠漠曉煙籠碧樹，
兒童牽犢臨流去。
開窗祇待那人來，
人在曉煙遮斷處。

病來翻覺多情趣，
相對朝朝我與汝。
莫談國事莫參禪，
且聽鳴禽枝上語。

衣萍著

種樹集

實價四角

一九二九年月六再版

二〇〇一——四〇〇〇

北新書局發行

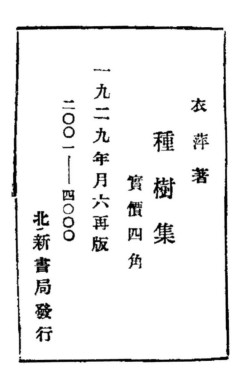